PRESSES AVENTURE

Publié par **Presses Aventure,** une division de
Les Publications Modus Vivendi inc.
55, rue Jean-Talon Ouest, 2e étage,
Montréal, Québec
Canada
H2R 2W8

Conception de la couverture : Marc Alain
Infographie : Modus Vivendi
Version française : Jean-Robert Saucyer

Dépôt légal, 1er trimestre 2004
Bibliothèque nationale du Québec
Bibliothèque nationale du Canada

ISBN : 2-89543-200-7

Nous reconnaissons le soutien financier du gouvernement du Canada par l'entremise du Programme d'aide au développement de l'industrie de l'édition (PADIÉ) pour nos activités d'édition.

Gouvernement du Québec – Programme de crédit d'impôt pour l'édition de livres – Gestion SODEC

Imprimé en Chine

QU'AS-TU LÀ, GARFIELD?
UN OREILLER DE PLUMES
CUI CUI
FAIT DE PLUMES FRAÎCHES!
JIM DAVIS 11-10
© 1993 United Feature Syndicate, Inc.

CLONG!
J'AVAIS L'ESTOMAC VIDE!
JIM DAVIS 11-11
© 1993 United Feature Syndicate, Inc.

C'EST ASSEZ DE SIROP SUR TES CRÊPES, GARFIELD!
GRIPPE-SOU!
JIM DAVIS 11-12
© 1993 United Feature Syndicate, Inc.

PARÉ AU BOTTÉ, ODIE?
UNE JOIE RENOUVELÉE!
© 1993 United Feature Syndicate, Inc.
JIM DAVIS 11-13

TU SAIS, POUR CHAQUE HOMME, IL EXISTE UNE FEMME
ÉPARGNE-MOI!
LA MIENNE EST QUELQUE PART
SÛREMENT BIEN CACHÉE!
JE N'AI QU'À LA TROUVER!
REGARDE SOUS LES ROCHES!
© 1993 United Feature Syndicate, Inc.
JIM DAVIS 4-5

Ici Suzie! Je suis absente mais laissez votre message après le bip sonore...
à moins que ce ne soit Jon Arbuckle auquel cas le répondeur raccrochera automatiquement....
Bip!
ICI... EUH... ED SMITH!
CLIC-BZZZZZZ
AH! LA TECHNIQUE!
© 1993 United Feature Syndicate, Inc.
JIM DAVIS 4-6

Garfield

MIAM
MIAM
MIAM
MIAM
1993 United Feature Syndicate, Inc.

JIM DAVIS 11-14
OUF!
BURP!
MES EXCUSES!

JE NE RÉUSSIS PAS À FIXER MON CHOIX
CLIC CLIC CLIC
CLIC CLIC CLIC CLIC
CE QUI EST PLUTÔT DIVERTISSANT!
CLIC CLIC CLIC
JIM DAVIS 11-15
© 1993 United Feature Syndicate, Inc.

Regardez-vous trop la télévision?
Beaucoup, beaucoup trop?
Dans ce cas, merci mille fois!
PAS DE QUOI!
JIM DAVIS 11-16
© 1993 United Feature Syndicate, Inc.

wouf! wouf!
Qu'y a-t-il?
JIM DAVIS 11-17
Tim est-il retombé dans le puits?
wouf!
LAISSE-LE AU FOND!
Conduis-moi à lui!
wouf!
BONNE IDÉE! TU Y JETTERAS LE CHIEN AUSSI!
© 1993 United Feature Syndicate, Inc.

Vous considère-t-on comme un idiot?
Dans ce cas, nous avons le produit qu'il vous faut!
J'EN AI TROIS PAREILS!
PLAUSIBLE!
JIM DAVIS 11-18
© 1993 United Feature Syndicate, Inc.

CLIC
Voici un reportage sur ceux qui ne peuvent se concentrer longtemps!
CLIC
JIM DAVIS 11-19
© 1993 United Feature Syndicate, Inc.

JIM DAVIS 11-20
UNE PUB DE BOUFFE POUR ANIMAUX!
© 1993 United Feature Syndicate, Inc.

GARFIELD

GRATT
GRATT
GRATT

GUILI
GUILI
GUILI
GUILI
GRATT
GRATT
GRATT

GUILI
GUILI
GRATT
GRATT
GRATT
GUILI
GUILI
GUILI
GUILI
GUILI
GUILI
GUILI
GUILI
SILENCE!
JIM DAVIS 11-21
© 1993 United Feature Syndicate, Inc

RRRRRRRR
Z
Z
PFFFFFF
© 1993 United Feature Syndicate, Inc.
JIM DAVIS 11-22

VA CHERCHER!
JIM DAVIS 11-23
BRAVE CHIEN!
© 1993 United Feature Syndicate, Inc.
ODIE ET MOI JOUONS À RATTRAPER LE TRAIN!

LA PORTE EST SORTIE DE SES GONDS PUIS EST TOMBÉE SUR ODIE!
JIM DAVIS 11-24
© 1993 United Feature Syndicate, Inc.
OH! NON!
LA MAISON SERA PLEINE DE COURANTS D'AIR!

JIM DAVIS 11·25
TIENS! MON VIEUX COPAIN ODIE!
PAF!
© 1993 United Feature Syndicate, Inc.
TIENS! MON VIEUX COPAIN ODIE!

J'AI MILLE RAISONS DE NE PAS VOULOIR ÊTRE UN CHIEN!
JIM DAVIS 11·26
© 1993 United Feature Syndicate, Inc.
LES VOILÀ TOUTES!

UNE TRAGÉDIE VIENT DE FRAPPER ODIE!
© 1993 United Feature Syndicate, Inc.
JIM DAVIS 11·27

$
TOTAL
VOTRE CHAUFFEUR
GARFIELD

NOVEMBRE
EUF!

NOVEMBRE
ENFIN DIMANCHE!

NOVEMBRE
LE DIMANCHE, JE GLISSE UNE ATTRAPE DANS LA BOUFFE DE JON...

NOVEMBRE
CETTE COULEUVRE EN CAOUTCHOUC FERA L'AFFAIRE!

JIM DAVIS 11-28
GARFIELD, IL Y A UNE FAUSSE COULEUVRE DANS MA SALADE!
© 1993 United Feature Syndicate, Inc.
EST-CE DÉJÀ DIMANCHE?
NOUS SOMBRONS DANS LA ROUTINE!

GARFIELD, TU PÈSES AUTANT QUE DEUX CHATS!
D'ACCORD AVEC TOI!
NOURRIS-MOI!
GARFIELD
JIM DAVIS 11-29
© 1993 United Feature Syndicate, Inc.

TCHAC!
TU ME MANQUAIS!
JIM DAVIS 11-30
© 1993 United Feature Syndicate, Inc.

QUI A MANGÉ LA LASAGNE?
PARFOIS, TU M'INQUIÈTES!
C'ÉTAIT UNE QUESTION POUR LA FORME...
JIM DAVIS 12-1
© 1993 United Feature Syndicate, Inc.

JON, JE TIENS À CE QUE TU SACHES QUE JE M'EFFORCE D'ÊTRE PLUS SINCÈRE!
© 1993 United Feature Syndicate, Inc.
LE POISSON A MORDU!
JIM DAVIS 12-2

NOUS ASSISTONS À UNE RÉVOLUTION DE L'INFORMATION, GARFIELD
TANT DE NOUVELLES CHOSES À SAVOIR!
© 1993 United Feature Syndicate, Inc.
TU PARLES SANS DOUTE DE LA PIZZERIA ET DE SON NOUVEAU NUMÉRO DE TÉLÉPHONE?
JIM DAVIS 12-3

ON A DIT QUE JE SUIS PARESSEUX, EXASPÉRANT...
JIM DAVIS 12-4
BONG!
© 1993 United Feature Syndicate, Inc.
ET QUE JE DÉCROCHE DES MÂCHOIRES!!!

TOTAL
PRIX AU
Garfield
JIM DAVIS 12-5
© 1993 United Feature Syndicate, Inc.
JE SUPPOSE QUE LE PREMIER FLOCON DE NEIGE DE LA SAISON S'ESTIME OBLIGÉ DE FAIRE UNE ENTRÉE REMARQUÉE!

DÉCEMBRE
JIM DAVIS 12·6
© 1993 United Feature Syndicate, Inc.
JE SAIS, GARFIELD: NOËL APPROCHE!

© 1993 United Feature Syndicate, Inc.
NOËL APPROCHE!
JIM DAVIS 12·7

LES DÉCORATIONS, LES CADEAUX,
© 1993 United Feature Syndicate, Inc.
LES CANTIQUES, LES CADEAUX, LE GUI ET LES CADEAUX
SIX RAISONS D'AIMER NOËL!
JIM DAVIS 12·8

NOUS N'ALLONS PAS DÉCORER LA MAISON CETTE ANNÉE, GARFIELD
PAS DÉCORER?
GRRRRR!
TU SAIS POURQUOI?
PARCE QUE NOUS ALLONS À LA FERME!
DOUBLE
GRRRRR!
© 1993 United Feature Syndicate, Inc.
JIM DAVIS 12-9

GARFIELD, JE SAIS QUE TU NE VEUX PAS PASSER NOËL À LA FERME; MAIS TU DOIS T'Y FAIRE
BERK! BERK! BERK!
VAS-TU CESSER?
JIM DAVIS 12-10
© 1993 United Feature Syndicate, Inc.

VITE! GARFIELD, NOUS PARTONS À LA FERME!
UNE MINUTE!
DÉPÊCHE-TOI!
QU'ES-TU ALLÉ FAIRE?
J'AI LAISSÉ NOTRE ADRESSE AU PÈRE NOËL!
JIM DAVIS 12-11
© 1993 United Feature Syndicate, Inc.

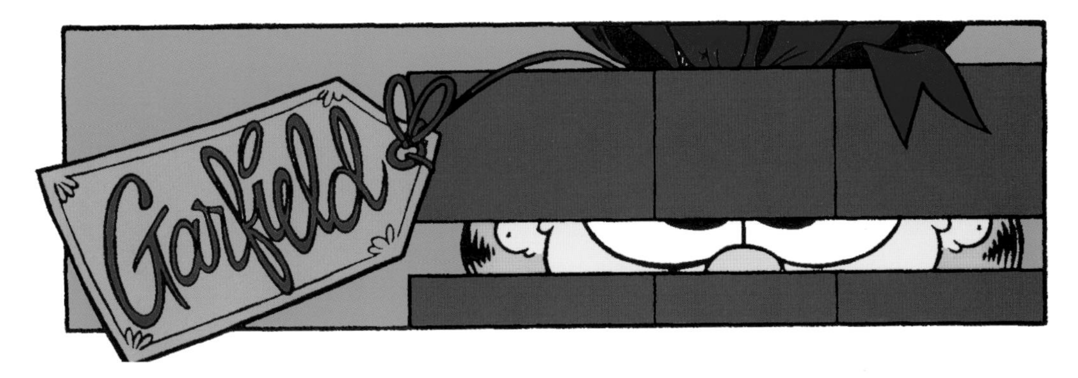
Garfield

OHHHHHHH...

NOUS ALLONS À LA FERME POUR FÊTER NOËL...

OUI, NOUS ALLONS À LA FERME POUR FÊTER NOËL!!
© 1993 United Feature Syndicate, Inc

OUI, NOUS ALLONS, ZALLONS, ZALLONS, ZALLONS ZA LA FERMEEEE...

POUR-R-R F-F-F-FÊTE-E-E-ER NO-O-O-ËL!!!
LES GARS, À VOTRE TOUR DE CHANTER!
LES GARS?
JIM DAVIS 12-12

MAMAN! PAPA!
JON!
FISTON!
© 1993 United Feature Syndicate, Inc.
CENT WATTS!
JE N'AIME PAS QUE TU M'APPELLES AINSI!
JIM DAVIS 12·13
CENT WATTS!
MAMAN!
AH! L'AMOUR FRATERNEL!

FISTON, ODIE ET TOI OCCUPEREZ CETTE CHAMBRE
JIM DAVIS 12·14
© 1993 United Feature Syndicate, Inc.
ET GARFIELD?
T'INQUIÈTE PAS!
GARFIELD OCCUPERA CES LIEUX!

À TABLE!
JIM DAVIS 12·15
© 1993 United Feature Syndicate, Inc.
SAPRISTI, MAMAN!
HUIT PLATS AUX POMMES DE TERRE!
PAF!
MON MEILLEUR SCORE!

JONNY, C'EST TOI À LA PETITE ÉCOLE!
TOUCHANT!
ET VOICI CENT WATTS COURANT TOUT NU DANS LES POUSSES DE SOJA!
À QUAND REMONTE LA PHOTO?
À CET ÉTÉ!
TOUCHANT!
ALBUM
JIM DAVIS 12-16
© 1993 United Feature Syndicate, Inc.

NOËL À LA FERME OFFRE QUELQUE CHOSE DE PARTICULIER...
QUELQUE CHOSE D'UNIQUE QUI N'EXISTE NULLE PART AILLEURS...
DES BISCUITS MOULÉS EN FORME D'ÉQUIPEMENT AGRICOLE!
JIM DAVIS 12-17
© 1993 United Feature Syndicate, Inc.

POUR NOËL, NOUS SOMMES EN VISITE CHEZ LES PARENTS DE JON
À LA FERME, TOUT EST PAISIBLE...
VIENS, GARFIELD! NOUS JOUONS À TAQUINER LES VACHES!
...ET BIZARRE!
JIM DAVIS 12-18
© 1993 United Feature Syndicate, Inc.

Garfield

TIENS BIEN L'ESCABEAU PENDANT QUE J'Y GRIMPE!
HÉ! MINUTE!

POURQUOI SUIS-JE TOUJOURS CELUI QUI TIENT L'ESCABEAU? POURQUOI PAS TOI?
PARCE QUE JE SUIS L'AÎNÉ, VOILÀ POURQUOI!
© 1993 United Feature Syndicate Inc

VRAIMENT? HÉ BIEN JE SUIS EN ÂGE D'Y MONTER À PRÉSENT! BOUGE DE LÀ!
HÉ! ATTENTION! ARRÊTE!

WOOAAAHHH!!!
BADABOUM
LES GARS, CESSEZ DE VOUS CHAMAILLER ET VENEZ ICI!
QUE VAIS-JE FAIRE DE VOUS?
POURQUOI PAS LES BRANCHER?
JIM DAVIS 12-19

SNIF SNIF SNIF SNIF
JIM DAVIS 12-20
NOËL EST DANS L'AIR!
© 1993 United Feature Syndicate, Inc.
LES BISCUITS SONT PRÊTS!
ET CHAUD DU FOUR!

HÉ! CENT WATTS, TU AS L'AIR D'UNE MAUVIETTE AVEC TES PYJAMAS À MOTIF OURSON!
JIM DAVIS 12-21
AU MOINS, JE N'AI PAS L'AIR D'UNE ANDOUILLE AVEC SES PYJAMAS JEANNOT LAPIN!
© 1993 United Feature Syndicate, Inc.
OURSON! OURSON! OURSON!
LAPIN! LAPIN! LAPIN!
DIS-MOI QU'ILS SONT NOS FILS ADOPTIFS!
JE NE ME SOUVIENS PLUS! J'ÉTAIS SANS CONNAISSANCE!

HÉ! JE RAPPORTE LE SAPIN DE NOËL!
JIM DAVIS 12-22
EN AS-TU ABATTU UN BIEN FOURNI, CENT WATTS?
SÛR! ET JE N'AI PAS EU DE MAL À LE TROUVER!
© 1993 United Feature Syndicate, Inc.
CIEL! FISTON, ON DIRAIT LE SAPIN PLANTÉ SUR LA PELOUSE
VOILÀ POURQUOI IL L'A FACILEMENT TROUVÉ!

LES GARÇONS! PAPA S'APPRÊTE À LIRE L'HISTOIRE DE "TITOTO, LE CLOWN QUI A SAUVÉ NOËL"!
TOUS AU SALON COMME LE VEUT LA TRADITION!
© 1993 United Feature Syndicate, Inc.
JIM DAVIS
12-23
QUI D'ENTRE VOUS A BU LE PUNCH À L'AIL?

QUE FAITES-VOUS? VOUS ATTENDEZ LE PÈRE NOËL?
HA! HA! HA! HA! HA!
HA! HA! HA!
© 1993 United Feature Syndicate, Inc.
JIM DAVIS 12-24

J'IGNORE POURQUOI... IL Y A LE SAPIN, LES LAMPIONS, LES CADEAUX MAIS QUELQUE CHOSE MANQUE, SANS QUOI NOËL N'EST PAS NOËL...
VROUM
VROUM
VROUM
VROUM
12-25
JIM DAVIS
© 1993 United Feature Syndicate, Inc.
VROUM
VROUM
VROOOUUUM
CRAC!!
SALUT À TOUS!
GRAND-MÈRE!
NOËL PEUT COMMENCER!

Jon
Odie
Mom
XOXO
Amitiés,
Garfield
Joyeuses Fêtes!

EUF

ADIEU NOËL!

ADIEU SAPIN DE NOËL!

ADIEU LAMPIONS! ADIEU GUIRLANDES!
© 1993 United Feature Syndicate, Inc.

ADIEU ÉTRENNES! ADIEU PAPIER D'EMBALLAGE!
ADIEU FEUILLES DE GUI!
BOONNJJOUR RESTES DE TABLE!
JIM DAVIS 12-26

VOICI UNE NOUVELLE ANNÉE! PORTEUSE D'ESPOIR, DE PROMESSES...
JANVIER
JIM DAVIS 12-27
BONG!
PORTEUSE DE LUNDIS!

QUELLES SONT TES RÉSOLUTIONS POUR LE NOUVEL AN?
J'AI DÉCIDÉ DE NE PLUS...
© 1993 United Feature Syndicate, Inc.
BOOIIINNG!
FAIRE CECI!
GARFIELD!
JE CRAINS DE NE PAS POUVOIR LA RESPECTER!
JIM DAVIS 12-28

SPLASH
SPLASH
SPLASH
SPLASH
SPLASH
SPLASH
SPLASH
SPLASH
SPLASH
JIM DAVIS 12-29
© 1993 United Feature Syndicate, Inc.
J'AI DÉCIDÉ DE NE PLUS JONGLER AVEC LES ŒUFS

GARFIELD CHOISIT SA TENUE POUR LE RÉVEILLON DU NOUVEL AN
NON, LES POIS NE TE VONT PAS. ESSAIE PLUTÔT LES RAYURES!
RAVISSANT!
JIM DAVIS 12-30
© 1993 United Feature Syndicate, Inc.

BONNE ANNÉE!!!
BLAAAAT!
PHHHT!
JIM DAVIS 12-31
DÉCEMBRE
...D'AVANCE!
© 1993 United Feature Syndicate, Inc.

L'HIVER EST TELLEMENT PAISIBLE!
AIEEE!
SAUF LORSQU'IL SE PINCE LE COU AVEC UNE FERMETURE ÉCLAIR!
© 1993 United Feature Syndicate, Inc.

1997
Garfield

TE VOILÀ ENFIN!

OÙ DONC ÉTAIS-TU PASSÉ?

QUE FAIS-TU ENCORE AVEC CE CHAPEAU? LE NOUVEL AN EST PASSÉ DEPUIS DEUX JOURS!
JIM DAVIS 1-2-94
JE SAIS!
© 1993 United Feature Syndicate, Inc.
DIRE QUE J'AI MANQUÉ ÇA!
ENTREZ TOUS! ET ASSUREZ-VOUS QUE LE BOUC ESSUIE SES PATTES!
BAAH

AU SECOURS! JE TOMBE!
JE PLAISANTE!
© 1993 United Feature Syndicate, Inc.
C'EST UNE PRISE DE VUE EN PLONGÉE!
JIM DAVIS 1-3-94

ODIE, COMMENT PEUX-TU ÊTRE AUSSI STUPIDE?
JIM DAVIS 1-4-94
© 1993 United Feature Syndicate, Inc.
MUNI D'UN PERMIS EN BONNE ET DUE FORME, ÇA VA!

ROULE-TOI DANS CE PLAT DE CHAPELURE PENDANT QUE LE FOUR CHAUFFE!
© 1993 United Feature Syndicate, Inc.
ALORS, QUOI? PRÉFÈRES-TU ÊTRE RÔTI? BOUILLI? OU QUOI ENCORE?!
JIM DAVIS 1-5-94

Z
Z
Z
UN SILENCIEUX!
© 1993 United Feature Syndicate, Inc.
JIM DAVIS 1-6-94

UN VRAI CHAT CHASSERAIT CETTE SOURIS!
© 1993 United Feature Syndicate, Inc.
JIM DAVIS 1-7-94
WOUF! WOUF!

JIM DAVIS 1-8-94
SOIS FÉROCE!
OUAIS
OUSTE!
© 1993 United Feature Syndicate, Inc.
PARFOIS JE M'EFFRAIE MOI-MÊME...

GARFIELD

© 1994 United Feature Syndicate, Inc.
JIM DAVIS 1-9-94

PAF!
PAF!
PAF!
PAF!
PAF!
PAF!
PAF!
IL S'AGIT D'UNE TRADITION PUREMENT LOCALE!

HÉ! HO! SOURIEZ! LE SOLEIL BRILLE!
SPLAT!
© 1994 United Feature Syndicate, Inc
JIM DAVIS 1-10
FICHE LE CAMP!
BEAUCOUP TROP D'ENTRAIN POUR UN LUNDI MATIN!

ZIP!
© 1994 United Feature Syndicate, Inc
MIAM! MIAM! MIAM!
EXHIBITIONNISTE!
JIM DAVIS 1-11

JIM DAVIS 1-12
© 1994 United Feature Syndicate, Inc
OUF OUF OUF OUF

PIF
VLAN!
POUF!
AIE!
AU COMBAT DE BOULES DE NEIGE, LES SOURIS SONT NULLES!

♪
TAP TAP TAP
LE FORT DOIT ÊTRE SOLIDE SI ON VEUT REMPORTER LA BATAILLE
JE SUIS PRÊT, GARFIELD!

SPLOT!
WHAM!
LE COMBAT DE BOULES DE NEIGE A PRIS FIN HIER!
C'EST CE QUE TU CROIS!

GARFIELD

CHIC!
IL A NEIGÉ!
© 1994 United Feature Syndicate Inc
VITE! MA
CAMÉRA

ROMP
ROMP
ROMP
ROMP
ROMP
JIM DAVIS 1-16

Voici le merle-bleu...
JIM DAVIS 1-17
délicieux nature ou en sauce madère...
© 1994 United Feature Syndicate, Inc.
QUE REGARDES-TU?
LE RÉSEAU DES CHATS!

Restez à l'écoute...
ou pas, on s'en fiche...
© 1994 United Feature Syndicate, Inc.
pour notre théatre de l'indifférence
JIM DAVIS 1-18

Voici les frères Rigatoni, jongleurs émérites!
AÏE!
AÏE!
AÏE!
AÏE!
AÏE!
© 1994 United Feature Syndicate, Inc.
AÏE!
AÏE!
AÏE!
CE BÂTON EN FLAMMES N'EST PAS UNE BONNE IDÉE
JIM DAVIS 1-19

JE N'EN CROIS PAS MES YEUX!
TU REGARDES UN ÉCRAN PLEIN DE STATIQUE!
OUI, MAIS DE LA STATIQUE DE QUALITÉ!
© 1994 United Feature Syndicate, Inc.
JIM DAVIS 1·20

Les chats jouissent d'une vague de popularité...
notre caméra dissimulée montre pourquoi!
Le puissant lobby des chats verse des pots-de-vin à la population!
QUE DES MENSONGES!
JIM DAVIS 1·21
© 1994 United Feature Syndicate, Inc.

NOM D'UN CHIEN
CLIC
PERTE DE TEMPS
CLIC
QUE REGARDES-TU?
JE SUIS REVENU À "NOM D'UN CHIEN"!
© 1994 United Feature Syndicate, Inc.
JIM DAVIS 1·22

GARFIELD

Z
JIM DAVIS 1·23

?

AINSI VA LA VIE!
OÙ DONC?
JIM DAVIS 1·24
© 1994 United Feature Syndicate, Inc.

EUF!
DIRE QUE LA NOUVEAUTÉ ET L'IMPRÉVU PONCTUENT LA VIE DE PLUSIEURS JOUR APRÈS JOUR!
ÇA SEMBLE MONOTONE!
JIM DAVIS 1·25
© 1994 United Feature Syndicate, Inc.

LA VIE EST UNE FÊTE!
ET L'INVITATION DE JON S'EST ÉGARÉ DANS LE COURRIER!
JIM DAVIS 1·26
© 1994 United Feature Syndicate, Inc.

J'ESSAIE D'ÉCRIRE MON AUTOBIOGRAPHIE...
ET ÇA NE VA PAS TRÈS FORT
C'EST CONFORME À LA RÉALITÉ!
JIM DAVIS 1·27
© 1994 United Feature Syndicate. Inc

JIM DAVIS 1·28
JON, TU DOIS SORTIR PLUS SOUVENT
TU DOIS FRÉQUENTER TES SEMBLABLES
À CONDITION DE TROUVER UN PARESSEUX QUI COLLECTIONNE LES TIMBRES!
© 1994 United Feature Syndicate. Inc

REGARDE-MOI DÉPLOYER L'OPÉRATION CHARME!
FOU LE CAMPS, LA NOUILLE
JIM DAVIS 1·29
ELLE ADMET MON EXISTENCE!
OPÉRATION CHARME TERMINÉE!
© 1994 United Feature Syndicate. Inc

ABCDEFGHIJKLMNOPQRSTUVWXYZ
GARFIELD

GARFIELD

L'HEURE DE LA PROMENADE, GARFIELD!

YOINK!
HOUP! LA MOUSTIQUAIRE ÉTAIT FERMÉE! RIGOLO, NON?
J'AI FAILLI ME TUER!
JIM DAVIS 1-30

ON PRÉTEND QU'UN ABUS DE TÉLÉ REND PASSIF
JIM DAVIS 1-31
© 1994 United Feature Syndicate, Inc.
JE NE M'EN PLAINS PAS
ON S'EN FOUT!

Voici l'opinion de notre commentateur!
Wouf! Wouf! Brrr! Brrr! Wouf! Wouf!
JIM DAVIS 2-1
© 1994 United Feature Syndicate, Inc.
À présent, la réplique!
Miaou! Miaou! Ronron! Miaou!
BIEN DIT!

Demeurez des nôtres pour l'émission qui suivra...
© 1994 United Feature Syndicate, Inc.
Vous n'avez rien de mieux à faire, de toute façon...
Vu le vide de votre existence insignifiante!
ILS SAVENT CAPTER MON ATTENTION
JIM DAVIS 2-2

Votre chat est obèse et paresseux?
Il ne fait rien que manger et dormir?
© 1994 United Feature Syndicate, Inc.
Ce n'est pas grave!
JON! TU RATES UNE BONNE ÉMISSION!
JIM DAVIS 2-3

La caméra vidéo de la banque a pris cette photo du coupable...
JIM DAVIS 2-4
© 1994 United Feature Syndicate, Inc.
JE CROYAIS ÊTRE DANS UNE PÂTISSERIE!

Restez à l'écoute pour : "Regardons sécher la peinture"!
JIM DAVIS 2-5
ZUT!
© 1994 United Feature Syndicate, Inc.
ILS ONT DÉCALÉ : "REGARDONS POUSSER LE GAZON"!

G A R F
I E L D

Z

CHIEN IDIOT! TU DORS À MA PLACE!
Z

PIF!

JIM DAVIS 2-6

POUSSE POUSSE
POUSSE
POUSSE POUSSE
GRATTE GRATTE
GRATTE
POUSSE GRATTE

© 1994 United Feature Syndicate, Inc

PERSONNE NE TE POUSSE À GAUCHE ET À DROITE, HEIN GARFIELD?
NAN!
PAS SANS UNE REMORQUE, EN TOUT CAS!
AÏE! JE NE L'AI PAS VU VENIR!
© 1994 United Feature Syndicate, Inc
JIM DAVIS 2-7

"TOUT SUR L'HUMOUR RAFFINÉ"
BONG!
SPLUT!
"AVEC BOZO LE CLOWN"!
© 1994 United Feature Syndicate, Inc
JIM DAVIS 2-8

C'EST ASSEZ!
HÉ-HO! JE NE SUIS PLUS LÀ, ODIE!
© 1994 United Feature Syndicate, Inc
JIM DAVIS 2-9

JIM DAVIS 2-10
EUF...
GARFIELD
BLUP!
GARFIE
© 1994 United Feature Syndicate, Inc
EUF...
DEUX JOURS QUE JE N'AI PAS VU SON VISAGE!
GARFIELD

JIM DAVIS 2-11
© 1994 United Feature Syndicate, Inc
JE LISAIS CET ARTICLE!
JON, TON PASSÉ N'INTÉRESSE PERSONNE!

C'EST AINSI QU'ON ROULE LES CHAUSSETTES.
JIM DAVIS 2-12
TON TOUR, À PRÉSENT!
© 1994 United Feature Syndicate, Inc.
TU NE M'ÉCOUTAIS PAS!
PASSONS AUX CALEÇONS!

GARFIELD
GARFIELD?
Z

MI MI MI MI MI MI MI MI

MI AOU MII AOUOU MIAAOU

MI AOU MII AOUOU MI AAOUU

BOUM!
© 1994 United Feature Syndicate, Inc
VOUS NE SAVIEZ PAS QUE JE CHANTE L'OPÉRA?

JIM DAVIS 2·14
BOUM
BOUM
BOING
BOING
BOING
© 1994 United Feature Syndicate, Inc.
TIENS? ON PEUT REBONDIR SUR DU PLANCHER DE BOIS FRANC?
AU RÉGIME!

À COMPTER D'AUJOURD'HUI, TU ES AU RÉGIME
JIM DAVIS 2·15
© 1994 United Feature Syndicate, Inc
SI TU CONTINUES D'ENGRAISSER, LA TERRE QUITTERA SON ORBITE ET S'ÉCRASERA CONTRE LE SOLEIL
QU'AS-TU À RÉPONDRE À CELA?
DONNE-MOI UN BEIGNE ET ACTIVE LE CLIMATISEUR!

NON! JE NE LE SUPPORTE PLUS!
JIM DAVIS 2·16
ARRRRGH!
© 1994 United Feature Syndicate, Inc
SIMPLE APPRÉHENSION!
LA FERME!

JON M'A INTERDIT DE GRIGNOTER
JIM DAVIS 2·17
MAIS J'AI CONNU UN MOMENT DE FAIBLESSE
© 1994 United Feature Syndicate, Inc.
QUI A ÉVENTRÉ LE FRIGO?
UN INTENSE MOMENT DE FAIBLESSE

LA VIE EST UNE LUTTE CONSTANTE ENTRE LE BIEN ET LE MAL,
LE BON ET LE MALÉFIQUE...
© 1994 United Feature Syndicate, Inc.
JIM DAVIS 2·18
LA LASAGNE ET LA DIÈTE!

JIM DAVIS 2·19
NON! DE GRÂCE! PITIÉ!
© 1994 United Feature Syndicate, Inc.
PAR PURE BONTÉ, JE NE ME SUIS PAS PESÉ AUJOURD'HUI!

Garfield

Z
TIC
TIC
TIC
TIC

Z
BRINNNG

BONJOUR GARFIELD!
BONJOUR JON!
© 1994 United Feature Syndicate, Inc

BONJOUR POOKY!
CROUCH!
CROUCH!

BONJOUR ODIE!

JE DOIS LAISSER TOMBER CE RÉGIME!
JPM DAVIS 2-20

JIM DAVIS 2·21
JE FAIS UN RÉGIME
TIENS DONC!
SI! AI-JE LE VISAGE D'UN MENTEUR?
© 1994 United Feature Syndicate, Inc
COMMENT LE SAURAIS-JE, MON MINET?

JIM DAVIS 2·22
DUR DE FAIRE UN RÉGIME!
MAIS, APRÈS UN EFFORT DE PLUSIEURS JOURS, JE CONSTATE QUE J'ENGRAISSE MOINS VITE!
© 1994 United Feature Syndicate, Inc
UNE MINCE VICTOIRE, MAIS VICTOIRE TOUT DE MÊME!
TU SENS LE CHOCOLAT!

DIS DONC TOI, COMBIEN PÈSES-TU?
ÇA NE TE REGARDE PAS!
© 1994 United Feature Syndicate, Inc
PLUS FACILE D'ANNONCER LA MAUVAISE NOUVELLE AUX AUTRES!
JIM DAVIS 2·23

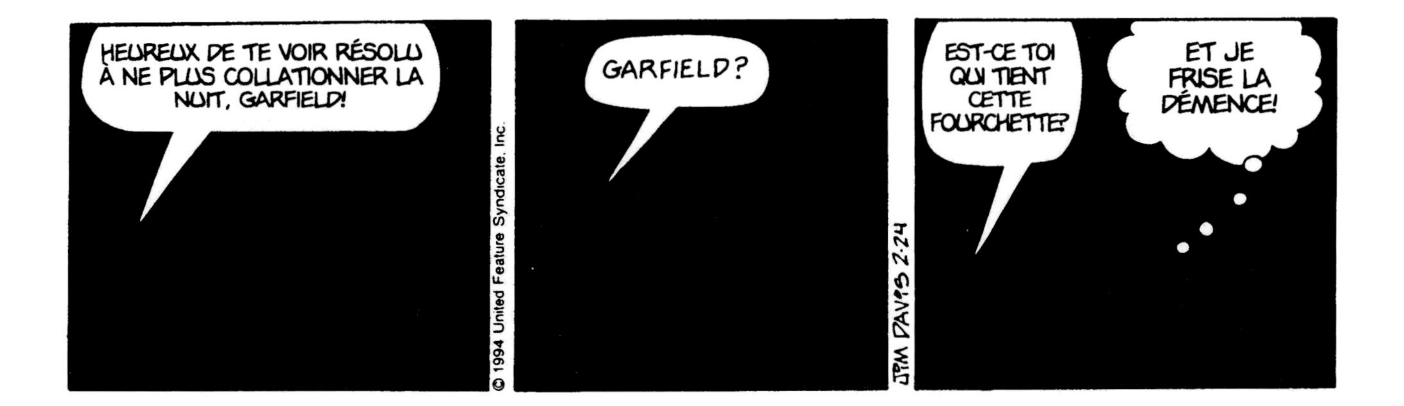
HEUREUX DE TE VOIR RÉSOLU À NE PLUS COLLATIONNER LA NUIT, GARFIELD!
GARFIELD?
EST-CE TOI QUI TIENT CETTE FOURCHETTE?
ET JE FRISE LA DÉMENCE!
© 1994 United Feature Syndicate, Inc.
JIM DAVIS 2-24

BONNE NOUVELLE!
J'AI LA JOIE D'ANNONCER QUE J'AI PRIS 3 KG SANS EFFORT!
LA PREMIÈRE FOIS QUE J'ATTEINS LE POIDS FIXÉ!
© 1994 United Feature Syndicate, Inc.
2-25
JIM DAVIS

ZUT!
14 JOURS DE RÉGIME ET JE N'AI PERDU QUE 2 SEMAINES!
© 1994 United Feature Syndicate, Inc.
JIM DAVIS
2-26

QU'EST-CE QUE C'EST?
UN COLLIER ANTI-PUCES!!!

DÉPLAÇONS-NOUS TOUTES VERS LA QUEUE DU CHAT!
© 1994 United Feature Syndicate, Inc

MON SYDNEY EST LÀ-HAUT!
JE VAIS À SON SECOURS, M'DAME!

ALLONS FISTON! CRAMPONNE-TOI À MON ANTENNE!

SYDNEY! MAMAN!
HOURRA!

UN COLLIER EN VUE!!!
LA VIE, C'EST DU CINÉMA!
JIM DAVIS 2-27

ODIE
GARFIELD
© 1994 United Feature Syndicate, Inc.
JIM DAVIS 2-28
LA PERFECTION EST DE CE MONDE!

JE VAIS À LA CUISINE!
© 1994 United Feature Syndicate, Inc.
JIM DAVIS 3-1
ÉTEINS AVANT DE TE COUCHER!

QUEL TEMPS FAIT-IL AUJOURD'HUI?
IL PLEUT...
JIM DAVIS 3-2
ET IL VENTE!

DÉJÀ PLUS DE CAFÉ! J'EN AI ACHETÉ HIER!
CAFÉ
JIM DAVIS 3-3
GARFIELD, SAIS-TU CE QUI EST ARRIVÉ AVEC LE CAFÉ?
CAFÉ
© 1994 United Feature Syndicate, Inc.
COMME ÇA, JE NE SAIS PAS, MAIS JE PEUX RESTER ÉVEILLÉ TROIS NUITS D'AFFILÉE POUR Y RÉFLÉCHIR!
CAFÉ

REGARDE! UN CHAT OBÈSE ET IDIOT!
HORS DE MA VUE, GROS TAS DE LARD!
OUAIS, DÉGUERPIS!
© 1994 United Feature Syndicate, Inc.
QU'EST-CE QUI EST ARRIVÉ À "CUI-CUI"?
JIM DAVIS 3-4

JIM DAVIS 3-5
© 1994 United Feature Syndicate, Inc.
FAITES ATTENTION POUR NE PAS SUBIR LE MÊME SORT!

GARFIELD

VLAN!

VLAN!

© 1994 United Feature Syndicate, Inc

VLAN!

QUAND JE SUIS FURIEUX, IL FAUT QUE JE CLAQUE LES PORTES!
JIM DAVIS 3-6

VLAN!

SUIS-JE UNE NOUILLE, À TON AVIS?
OUI!
© 1994 United Feature Syndicate, Inc
DOMMAGE QUE LES CHATS NE PARLENT PAS!
OUI! OUI! TROIS FOIS "OUI"!
JIM DAVIS 3-7

JE REGRETTE DE N'ÊTRE PAS PLUS BEAU!
© 1994 United Feature Syndicate, Inc
TAP TAP
TU N'AS PAS DE RAISON DE DIRE CELA...
C'EST MOI QUI DEVRAIS REGRETTER QUE TU NE SOIS PAS PLUS BEAU!
JIM DAVIS 3-8

GARFIELD, JE ME REGARDE DANS LA GLACE...
GARFIELD
© 1994 United Feature Syndicate, Inc
ET UNE QUESTION ME VIENT À L'ESPRIT...
GARFIELD
JIM DAVIS 3-9
SUIS-JE MACHO?
ÉVIDEMMENT, IL N'A PAS VU QUE J'AI LA BOUCHE PLEINE!
GARFIELD

JE DOIS VRAIMENT CHANGER MON IMAGE, GARFIELD!
BIEN D'ACCORD!
UN CHANGEMENT PEUT ÊTRE POSITIF
ENCORE D'ACCORD!
UNE TRANSFORMATION NOUS PROFITERAIT À TOUS LES DEUX, PAS VRAI?
PARLE POUR TOI, FACE D'ÂNE!
JIM DAVIS 3-10
© 1994 United Feature Syndicate, Inc

LES FEMMES AIMENT LES BEAUX GRANDS BRUNS
CROIS-TU QUE JE POURRAIS ÊTRE BEAU, GRAND ET BRUN?
BIEN SÛR QUE OUI!
GRIMPE SUR UNE CHAISE, ÉTEINS LA LUMIÈRE ET MENS!
JIM DAVIS 3-11
© 1994 United Feature Syndicate, Inc

TU SAIS, GARFIELD...
J'AIMERAIS AVOIR UNE IDENTITÉ SECRÈTE, COMME UN SUPERHÉROS!
TON IDENTITÉ EST UN SECRET!
JIM DAVIS 3-12
© 1994 United Feature Syndicate, Inc

GARF
IELD

Z

Z

FROUCH!
WRRRRRRR
JIM DAVIS 5-13

© 1994 United Feature Syndicate Inc
Z
CRAC!
B-D-D-D-D-D-D

DING
L'HEURE DU REPAS!
LES CHATS N'ONT PAS DE SONNERIE!
J'AI AVALÉ LE COMPTE-MINUTES!
© 1994 United Feature Syndicate Inc
JIM DAVIS 3-14

TU ES OBÈSE...
ET FAINÉANT
TU VOIS! JE FAIS LE TRAVAIL DE DEUX CHATS!
© 1994 United Feature Syndicate Inc
JIM DAVIS 3-15

ATTENDS ICI, ODIE! JE M'OCCUPE DE TA BOUFFE!
MIAM
MIAM
MIAM
© 1994 United Feature Syndicate Inc
JIM DAVIS 3-16

Z
HEUREUX DE TE VOIR À L'ŒUVRE!
À L'ŒUVRE?!
ET D'OÙ CE TROU PEUT-IL PROVENIR?
JIM DAVIS 3-17

OÙ EST MON CADEAU?
JE NE PEUX T'APPORTER UN CADEAU CHAQUE FOIS QUE JE SORS!
ALORS, POURQUOI SORTIR?

T'AMUSES-TU AUTANT QUE MOI?
JE M'ENNUIE!
ALORS, C'EST OUI!

GARFIELD

ZOOOOM

WHAM !

WHAM
POURQUOI AGIR AINSI? IL ME REND CINGLÉ!
TU AS RÉPONDU À TA QUESTION, EINSTEIN!
© 1994 United Feature Syndicate Inc
JIM DAVIS 3-20

JIM DAVIS 3-21
AVEZ-VOUS REMARQUÉ COMBIEN UN CHAT PEUT SE FONDRE À SON ENTOURAGE?

VOICI UNE PELOTE AVEC QUOI T'AMUSER!
JIM DAVIS 3-22
COMMENT ÇA FONCTIONNE?

VOUS AVEZ LA CHANCE D'AVOIR DE LA FOURRURE...
JIM DAVIS 3-23
QUI VOUS TIENT BIEN AU CHAUD!
QUI COUVRE AUSSI LE COBRA TATOUÉ SUR MON DERRIÈRE!

QUAND UN CHAT VEUT RÉVEILLER QUELQU'UN, IL LUI MONTE DESSUS...
Z
UWAAH! YAAAH!
AVEC DES CHAUSSURES DE GOLF!
CLOP CLOP CLOP
© 1994 United Feature Syndicate Inc
JIM DAVIS 3-24

LES CHATS SONT DES CRÉATURES SAUVAGES QUI FONDENT LEURS GESTES SUR... EUH...
L'INSTINCT!
JIM DAVIS 3-25

GARFIELD, C'EST DANGEREUX LÀ-HAUT!
PAS POUR UN CHAT AGILE!
DU MOINS, PAS POUR UN CHAT AGILE EN PARACHUTE!
© 1994 United Feature Syndicate Inc
JIM DAVIS 3-26

$GARFIELD
GARFIELD

DING DONG

DING DONG

UN CHAT NE SONNE PAS À LA PORTE POUR ENTRER!

O.K.
GRATT
GRATT
GRATT
GRATT
GRATT
GRATT
GRATT
© 1994 United Feature Syndicate, Inc.
CONTENT?

SAPRISTI! JE SUIS GROS!
JIM DAVIS 3-28
IL NE RESTE QU'UN MOYEN!
© 1994 United Feature Syndicate, Inc.
CONTENIR LES DÉGÂTS!

J'AI PERDU MA CARTE DE CRÉDIT!
JE RÉUNIS UNE ÉQUIPE DE SECOURS...
DÈS QUE JE ME SUIS CURÉ LES DENTS!
3-29
JIM DAVIS

JON S'EST DÉMIS UNE VERTÈBRE
3-30
JE POURRAIS CHERCHER DU SECOURS...
OU LUI FAIRE LES POCHES!
LOIN DE MOI, INFÂME!
JIM DAVIS

MESDAMES ET MESSIEURS, ODIE!
BONG!
OUVRE LA PORTE ET ENSUITE TU ENTRES!
JIM DAVIS 3-31

PUIS-JE AVOIR UNE SECONDE D'ATTENTION?
JIM DAVIS 4-1
BIEN SÛR!
JE VEUX TE PARLER DU MANQUE DE RESPECT QUE TU
SECONDE ÉCOULÉE!

JIM DAVIS 4-2
GARE AU CHIEN
CHANGEONS DE DIRECTION!

GARF
IELD

GLOUGLOU...
QU'EST-CE QUE C'EST?

GLOUGLOU...

GARFIELD A CONSERVÉ LA TÊTE DE SON BONHOMME DE NEIGE
GAR-FIELD!
JIM DAVIS 4-3

A TABLE!
JIM DAVIS 4-4
OÙ EST GARFIELD?
GARFIELD
OÙ EST JON?

J'AI VIDÉ MON ASSIETTE!
JIM DAVIS 4-5
ET LA TIENNE!
DING-DONG!
ET CELLES DES VOISINS!

MON POISSON ROUGE!
JIM DAVIS 4-6
REMETS-LE! TOUT DE SUITE!
GARFIELD!

PUIS-JE TE CONFIER CE GÂTEAU, GARFIELD?
BIEN SÛR!
C'EST STUPIDE, MAIS TU PEUX!
JIM DAVIS 4·7

UN HAMBURGER SOLITAIRE...
ÉGARÉ DU TROUPEAU...
L'INSTINCT DU CHASSEUR NE SE PERD PAS!
JIM DAVIS 4·8

JIM DAVIS 4·9
TCHAC!
MIAM!
J'ESPÈRE QUE C'EST COMESTIBLE!

Garfield

CRAYON

MONNAIE

PEIGNE

CHIPS

FOURCHETTE
MIAM
MIAM
MIAM
AH-HA!
POP
LA TÉLÉ-
COMMANDE!

JE SAIS LE TEMPS QU'IL FAIT...
JIM DAVIS 4-11
SANS QUITTER MON LIT!
© 1994 United Feature Syndicate, Inc.
C'EST LA PLEINE LUNE!
NOUS AVONS SOIF DE SANG!

JE ME DEMANDE CE QUE RÉSERVE L'AVENIR...
HÉ! L'AVENIR A UNE RÉSERVE DE BISCUITS!
JIM DAVIS 4-12

OÙ SONT PASSÉS LES BISCUITS?
CROC
CROC
CROC
© 1994 United Feature Syndicate, Inc.
EUH... AU BUREAU DE POSTE POUR ACHETER DES TIMBRES!
ENSUITE, DIRECTION BORD DE MER!
T'AS DES MIETTES SUR LE MENTON
JIM DAVIS 4-13

J'AI RÉUSSI!
J'AI MANGÉ MON MILLIONIÈME REPAS!
© 1994 United Feature Syndicate Inc
ET IL N'EST QUE MIDI!
JIM DAVIS 4·14

JE SAIS L'IMPORTANCE QUE TU ACCORDES À LA BOUFFE
JIM DAVIS 4·15
© 1994 United Feature Syndicate Inc
MAIS IL Y A DES LIMITES!
ADORER UN BEIGNE!
NE CONTRARIE PAS LES DIEUX!

SCRONTCH
MIAM
SLURP
MIAM
CROC
CROC CROC
CROC
CROUNCH
GARFIELD
© 1994 United Feature Syndicate, Inc
TA FAÇON DE MANGER ME DÉGOÛTE
GARFIELD
JIM DAVIS 4·16
JE COMPENSE LA QUALITÉ PAR LA QUANTITÉ!
GARFIELD

GARFIELD

BWA-BWA-BWA-BWAAAHH

SMMAAACK!
© 1994 United Feature Syndicate Inc
LE LIVREUR DE PIZZA DOIT ÊTRE ICI!
JIM DAVIS 4-17

CLOP
CLOP
CLOP
CLOP
JIM DAVIS 4-18
CLOP
CLOP
CLOP
T'ÉCRASES DES ARAIGNÉES?
QUI TE L'A DIT?

© 1994 United Feature Syndicate Inc
NON! NON! JON, JE T'EN PRIE!
JIM DAVIS 4-19
OH! NON!
TCHOUF
JE ME LA RÉSERVAIS!

JIM DAVIS 4-20
© 1994 United Feature Syndicate Inc
KA-TCHAC!
CLIC

WHAM!
JIM DAVIS 4·21

© 1994 United Feature Syndicate, Inc
PIF!
ELLES ONT PRIS DE LA VITESSE PENDANT QUE J'AI PRIS DE L'ÂGE!
JIM DAVIS 4·22

UNE ARAIGNÉE INVISIBLE!
WHAM! WHAM! WHAM! WHAM! WHAM! WHAM! WHAM! WHAM!
© 1994 United Feature Syndicate, Inc
JIM DAVIS 4·23
QU'EST-CE QUE TU CROIS?!
N'AVAIS-TU DONC RIEN VU?

GARFIELD

ENFIN!

DES FLEURS!

TULIPES!

DES SOUCIS!

DES PENSÉES!

OUILLE!

DES ROSES!
JIM DAVIS 4-24

BONJOUR GARFIELD!
D'ACCORD, BONJOUR À TOI AUSSI, POOKY!
BÉCOT!
QUI M'AIME AIME AUSSI MON OURSON!
© 1994 United Feature Syndicate, Inc.
JIM DAVIS 4-25

RENONCE À FAIRE TOMBER ODIE EN BAS DE LA TABLE!
D'ACCORD! D'ACCORD!
VLAN!
© 1994 United Feature Syndicate, Inc.
BOUM!
JIM DAVIS 4-26

EN SECRET, J'AI MIS UNE BRIQUE DANS CE GÂTEAU
CROUCH
CROUCH
CROUCH
© 1994 United Feature Syndicate Inc
JIM DAVIS 4-27
EN SECRET, J'AI PRIS GOÛT AUX BRIQUES!

GARFIELD!
JIM DAVIS 4·28
RÉPARE ÇA!
TU L'AURAS VOULU!

JON DIT QUE JE MANQUE D'ENTRAIN
JIM DAVIS 4·29
EST-CE UNE MINE ASSEZ RÉJOUIE À TON GOÛT?

VOICI UN METS TRÈS RAFFINÉ, GARFIELD!
© 1994 United Feature Syndicate Inc
VOILÀ!
UNE SAUCISSE EN SMOKING?!
JIM DAVIS 4·30

GARFIELD

VOIS COMMENT J'IMPRES-SIONNE LES FILLES EN FAISANT LE MIME!
ON DIRAIT UNE ALLUMETTE!

JIM DAVIS 5-1

© 1994 United Feature Syndicate, Inc.

AÏE!
HÉ-HO! TU N'ES PAS CENSÉ PARLER!

LA VIE EST PARFOIS DRÔLE
© 1994 United Feature Syndicate, Inc.
SAVON
HA! HA! HA!
POUR CERTAINS D'ENTRE NOUS!
JIM DAVIS 5-2

JON A LAISSÉ TOMBÉ LA PRUDENCE
IL A LE REGARD FOU DE CELUI QUI VIT DANGEREUSEMENT
© 1994 United Feature Syndicate, Inc.
IL PORTE SON MAILLOT DE CORPS À L'ENVERS!
JIM DAVIS 5-3

JON S'AMUSE AVEC DAME NATURE
UNE MITE ENRAGÉE!
JE L'AVAIS PRÉVENU; CETTE FEMME EST DINGUE!
JIM DAVIS 5-4

L'ENNUI VOUS GUETTE? VOUS AIMERIEZ PARAÎTRE PLUS ACTIF?
FRÉQUENTEZ QUELQU'UN DE PLUS TERNE QUE VOUS!
QUE VEUX-TU, GARFIELD?
JIM DAVIS 5-5

JIM DAVIS 5-6
© 1994 United Feature Syndicate Inc
JAMAIS IL N'EST PLUS GAI QUE LORSQU'IL PORTE SES CHAUSSETTES MUSICALES!

JON ET MOI AVONS EU UN DIFFÉREND CE MATIN
JIM DAVIS 5-7
MAIS JE ME SUIS CONDUIS EN ADULTE...
© 1994 United Feature Syndicate Inc
TU AS BRISÉ MES CRAIES!
COMPTE TENU LE CONTEXTE!

Garfield

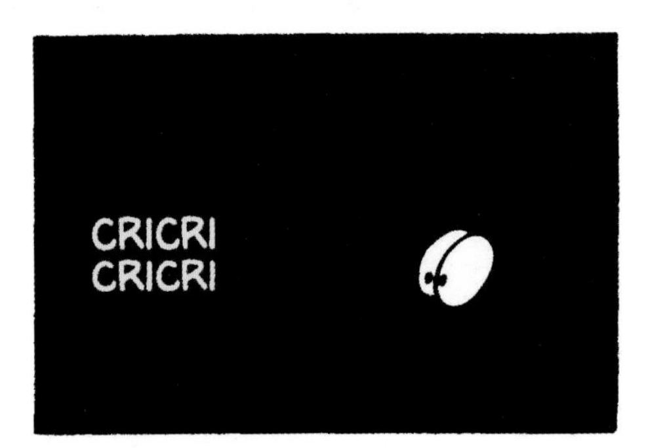
CRICRI
CRICRI

LES SONS NOCTURNES NE SONT PAS TOUS MENAÇANTS. AINSI, VOILÀ LE CHANT DU CRIQUET...
CRICRI
CRICRI

ÇA C'EST LA MAI-SON QUI CRAQUE...
CRAAAAC
© 1994 United Feature Syndicate, Inc.

© 1994 United Feature Syndicate, Inc.
OUF
OUF
OUF
... ÇA, C'EST ODIE!

... ÇA C'EST LE ROBINET QUI DÉGOUTTE
PLOUP
PLOUP
PLOUP
PLOUP
ET ÇA...
JIM DAVIS 5-8
CE SONT LES CALEÇONS PHOSPHORESCENTS DE JON!

TU SEMBLES DE MAUVAISE HUMEUR
EST-CE QUE C'EST QUELQUE CHOSE QUE J'AI DIT?
OU BIENSONT-CE PLUSIEURS CHOSES QUE J'AI FAITES?
© 1994 United Feature Syndicate, Inc
JIM DAVIS 5-9

BON SANG! J'AIMERAIS CONSTATER MOINS D'INDIFFÉRENCE AUTOUR DE MOI!
QU'EN DIS-TU?
ÇA M'EST ÉGAL
© 1994 United Feature Syndicate, Inc
JIM DAVIS 5-10

WOUF! WOUF!
JIM DAVIS 5-11
WOUF! WOUF!
INUTILE! NOUS NE RATTRAPERONS PAS LE MARCHAND DE GLACES

JE T'AI À L'OEIL!
À QUEL PROPOS?
JIM DAVIS 5-12

LE GROS LARD S'EN VIENT!
© 1994 United Feature Syndicate, Inc
JIM DAVIS 5-13
EN PLUS D'ÊTRE GROS, IL EST LENT!
JE PARLAIS DE TOI!

GARE AU
JIM DAVIS 5-14
© 1994 United Feature Syndicate, Inc
GARE AU
WOUF! WOUF! WOUF!
GARE AU

garfield

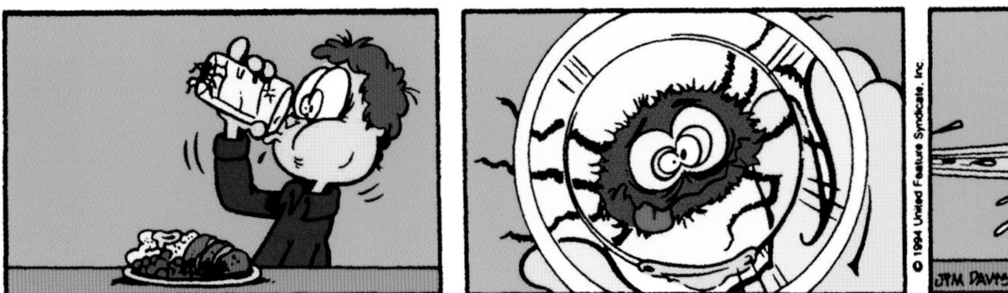
© 1994 United Feature Syndicate, Inc.

JIM DAVIS 5-15

JIM DAVIS 5-16
UN, DEUX! UN, DEUX, TROIS!
FLIP FLAP
FLIP FLAPFLIP
FLAPFLIP
FLAPFLIP
© 1994 United Feature Syndicate, Inc.

FLIP FLAP
FLIP FLAP
FLIP FLAP
FLIP FLAP
JIM DAVIS 5-17
© 1994 United Feature Syndicate, Inc.
HOU!
LEQUEL A HUÉ?

Voici les aventures d'un chat mignon et gentil...
JIM DAVIS 5-20
à "Ciné science-fiction"!
© 1994 United Feature Syndicate, Inc.
BIZARRE!
CLIC

ÉCRASE CETTE SOURIS!
JIM DAVIS 5·21
© 1994 United Feature Syndicate, Inc.
ET SI JE L'EMMENAIS FAIRE DU SAUT À L'ÉLASTIQUE EN ESPÉRANT UN ACCIDENT?

CHAQUE FOIS QUE JE T'APERÇOIS, TU MANGES OU TU RONFLES!
JIM DAVIS 5·23
© 1994 United Feature Syndicate, Inc.
GARFIELD
JE SERAIS CONTENT DE CHOISIR L'UN OU L'AUTRE ET D'Y RESTER FIDÈLE!
GARFIELD

TON POIDS EST TROP ÉLEVÉ
JE SAIS, JON
TU DOIS PERDRE DU POIDS SANS ATTENDRE!
OUI, CHEF!
© 1994 United Feature Syndicate, Inc.
OÙ VAS-TU?
SUR UNE PLANÈTE OÙ LA GRAVITATION EST PLUS FAIBLE!
JIM DAVIS 5·24

Garfield

REGARDE CE CHAT!

DOMMAGE QUE LE VIEUX FIDO N'Y SOIT PLUS!
C'ÉTAIT UNE BRAVE BÊTE!
© 1994 United Feature Syndicate, Inc

LE VIEUX FIDO EN AURAIT FAIT UN CHAPEAU DE POIL!

LE VIEUX FIDO L'AURAIT RÉDUIT EN TACO!
DOMMAGE QUE LE VIEUX FIDO N'Y SOIT PLUS!
C'ÉTAIT UNE BRAVE BÊTE!
ESPÉRONS QU'IL SOIT ENTERRÉ PROFONDÉMENT!
JIM DAVIS 5-22

ODIE! J'AI UNE GÂTERIE POUR TOI!
JIM DAVIS 5-25
© 1994 United Feature Syndicate Inc
BEL EFFORT, GARFIELD!
GARFIELD? JE NE SUIS PAS GARFIELD!

DU DESSERT!
© 1994 United Feature Syndicate Inc
LE RETOUR DU DESSERT : 2E PARTIE!
JIM DAVIS 5-26

LINDA, JE PARIE QUE RIEN NE TE TENTE AUTANT QUE DE SORTIR AVEC MOI!
JIM DAVIS 5-27
EUH...
© 1994 United Feature Syndicate Inc
ELLE PRÉFÈRE NAGER DÉGUISÉE EN BIFTECK DANS DES EAUX INFESTÉES PAR LES PIRANHAS
JE PARIE QUE TU ÉTAIS SON DEUXIÈME CHOIX

HÉ! LA MACHINE À MANGER...
À CAUSE DE TES 6 HEURES DE LUNCH, TU AS RATÉ LE DÎNER!
J'AI DÉJÀ UN CREUX!
5-28
JIM DAVIS

TU DEVRAIS FAIRE DE L'EXERCICE!
© 1994 PAWS, INC./Distributed by Universal Press Syndicate
ÇA NE ME SEMBLE PAS UTILE; JE SUIS DÉJÀ FATIGUÉ!
JIM DAVIS 5-30

© 1994 PAWS, INC./Distributed by Universal Press Syndicate
EST-IL POSSIBLE QUE TU BOUGES UN PEU AUJOURD'HUI?
UN TREMBLEMENT DE TERRE EST TOUJOURS UNE POSSIBILITÉ.
JIM DAVIS 5-31

GARFIELD

GARE
AU
BOOGA
JIM DAVIS 5-29

"GARE AU BOOGA"?

QU'EST-CE QU'UN BOO...

HOUP!
© 1994 United Feature Syndicate Inc
BOOGA!BOOGA!BOOGA!

CE SERAIT BIEN SI UNE CHOSE EXCITANTE SURVENAIT!
PAS À MOI, BIEN ENTENDU...
JIM DAVIS 6·1

RÉFLÉCHIS TOUJOURS AVANT D'AGIR!
ET SI JE RÉFLÉCHISSAIS TOUJOURS SANS AGIR?
6·2
JIM DAVIS

JE SONGE SÉRIEUSEMENT À ME RENDRE DANS LA PIÈCE D'À CÔTÉ...
À MOINS QUE TU L'APPORTES ICI!
CHAT INDIGNE!
© 1994 PAWS, INC./Distributed by Universal Press Syndicate
JIM DAVIS 6·3

HÉLAS!
TOUS LES JOURS SE RESSEMBLENT!
QUAND ON SAIT S'Y PRENDRE!
© 1994 PAWS, INC./Distributed by Universal Press Syndicate
JIM DAVIS 6-4

VOYEZ QUI EST ENFIN DEBOUT!
JIM DAVIS 6-6
© 1994 PAWS, INC./Distributed by Universal Press Syndicate
EST-CE GARFIELD OU MONSIEUR GRINCHEUX?
NOUS N'AIMONS PAS MONSIEUR GRINCHEUX
ET MONSIEUR GRINCHEUX S'EN BALANCE!

BIBI BIBI
BIBI BIBI
© 1994 PAWS, INC./Distributed by Universal Press Syndicate
JE DÉTESTE ÇA!
JE SAIS!
JIM DAVIS 6-7

GARFIELD
SCÉNARIO
VERSION
FINALE
APPROUV

GAR-FIELD!

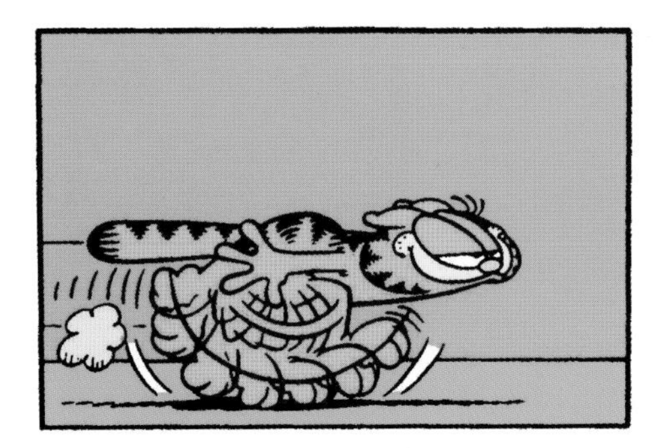

JIM DAVIS 6-5

SPLASH!
© 1994 United Feature Syndicate Inc
IMPRESSIONNANT!
T'AS VU LA TRIPLE VRILLE?

JE VAIS À L'ANIMALERIE T'ACHETER UNE JOLIE CHOSE
MAIS L'APPRÉCIES-TU?
© 1994 PAWS. INC/Distributed by Universal Press Syndicate
NON!
DES PANTOUFLES GROS-MINET!!
JIM DAVIS 6-8

D'AC, LINDA. JE VOUS REJOINS À 19 H.
JIM DAVIS 6-9
MOI?... BEAU, GRAND, BRUN ET MUSCLÉ!
© 1994 PAWS. INC/Distributed by Universal Press Syndicate
VIVE LES RENCONTRES SURPRISES!
VITE! LES PECTORAUX GONFLABLES!

ODIE, JON T'A OFFERT UNE PORTE À BATTANT AUTOMATIQUE.
BIP!
ZIP!
© 1994 PAWS. INC/Distributed by Universal Press Syndicate
ET JE L'AI INSTALLÉE!
JIM DAVIS 6-10

C'EST CONVENABLE POUR L'APRÈS-MIDI, NON?
JIM DAVIS 6-11
"CONVENABLE" NE REND PAS JUSTICE À L'ENSEMBLE
© 1994 PAWS, INC./Distributed by Universal Press Syndicate
DEVINEZ QUI A REMIS SA LESSIVE AU LENDEMAIN!

JON! MON FAVORI...
© 1992 United Feature Syndicate, Inc
ICI MÊME...
À L'INSTANT!
IL EST FOU DE MOI!
JIM DAVIS 8-24

NULLE PART AILLEURS NE SE SENT-ON COMME CHEZ SOI.
© 1992 United Feature Syndicate, Inc
NOUS NE POUVONS QUE L'ESPÉRER.
JIM DAVIS 8-25

Garfield

Z

ZUT! J'AI OUVERT L'ŒIL AVANT QUE SONNE LE RÉVEIL.

FRUSTRANT... JE DEVRAIS ME LEVER ET...

MAIS J'AI QUELQUES MINUTES E...N...C...O...R...E...
Z
© 1992 United Feature Syndicate, Inc.
JIM DAVIS 8-30